PARIS PHOTOCOLORIAGE

LE CAHIER D'ACTIVITÉS POUR CRÉATIFS EN HERBE
DE 5 À 12 ANS

COLOR
ME
PARIS!

FOR KIDS 5 TO 12

Conception et photographies
Sylvie Delpech

English translation by
David W. Cox

PARIGRAMME

Pour Satchel, ma petite gymnaste préférée...
To Satchel, my favorite little gymnast!

**Merci à Claudio Dell'Olio et à Caroline Leclerc
pour leur soutien et leurs conseils,
et à Satchel pour son regard tout neuf.**

Thanks to Claudio Dell'Olio and to Caroline Leclerc
for their support and their advice, and to Satchel
for her fresh outlook.

Il est difficile d'évoquer PARIS sans que surgissent aussitôt à l'esprit les monuments qui en font la gloire : tout le monde connaît ou a entendu parler de la tour Eiffel, de Notre-Dame, du Louvre, de Montmartre... Mais il serait dommage d'ignorer qu'une partie du charme de la capitale réside dans les petits détails, les choses bizarres, les clins d'œil que la ville nous adresse. Ce Paris-là est celui des rêveurs et des promeneurs ; il s'offre à qui sait regarder et prendre son temps. Les activités qui te sont proposées dans cet album te permettront de t'amuser tout en inventant une ville fantastique et pleine de couleurs. À toi de jouer !

You can't talk about **Paris** without conjuring up the images of the city's glorious monuments. Everybody has heard about the Eiffel Tower, Notre-Dame, the Louvre, and Montmartre. It would be a shame, however, to overlook one particular aspect of the capital: those tiny details that make up its charm –weird stuff, quirky stuff, fun stuff– all begging for your attention. This side of Paris belongs to people who take the time to dream and to stroll. You can't experience it if you don't take the time to really look at what you're seeing. Let your imagination run wild as you dive into this album. Paint the town red and any other color that pops into your head! Have fun!

Dans le monde entier, la **tour Eiffel** est le symbole de Paris. Mais on peut en trouver de toutes les tailles et de toutes les couleurs. Invente la tienne.

For people round the world, the **Eiffel Tower** symbolizes Paris. Since it seems to come in all sizes and colors, what kind of Eiffel Tower can you design?

Ma tour Eiffel
My own Eiffel Tower

Take paper and scissors and create your own **magnet!**

Avec du papier et des ciseaux, crée ton **magnet** !

Sur un mur, un **chat** guette...
Quoi donc ? Imagine et dessine.

Atop this low wall, a **cat** is ready to pounce...
On what, though? Imagine what it is and draw it.

Les **toits** de Paris sont faits pour rêver.
Mets des fleurs aux fenêtres, dessine
des chats ou ce que tu voudras...

The **roofs** of Paris inspire dreams. Put flowers
on the windowsills; draw in cats or anything
else you want.

Ce **petit bonhomme**
est en train de disparaître...
Redessine-le.   That cute **stick figure**
is vanishing fast.
Draw him back in!

Un **ballon** est sur le point
de s'envoler dans le ciel.
Dessines-en d'autres
pour l'accompagner.

A **balloon** is just about to fly
away, up in the sky. Draw
a few others to fly off with it.

Tourne, tourne le **manège** ! Décore le panneau avec ta vue préférée de la ville.

Hop on the **carousel**! Fill in the panel with your own favorite view of the city.

PARIS

SACRE - COEUR

Souvenirs, souvenirs...
Mets dans cette boule
ce qui, pour toi,
symbolise Paris.

Souvenir items...
Put whatever you
think best symbolizes
Paris into this ball.

PARIS

SACRE - COEUR

À quoi ressemblerait le **Sacré-Cœur** s'il était en couleurs ? Peut-être à un gros gâteau d'anniversaire…

What would the **Sacré-Cœur basilica** look like all painted up? Maybe like a gigantic birthday cake…

Redonne des couleurs à ces **touristes épuisés**.
Put some color back into these **exhausted tourists**.

SILHOUETTE

NORMAL 20
ETUDIANT 15

SOUVENIRS DE MONTMARTRE

Avec du papier et des ciseaux,
découpe le **profil d'un(e) ami(e)**
et colle-le dans ce cadre.

Take paper and scissors
and cut out a **friend's silhouette**,
then glue it onto this frame.

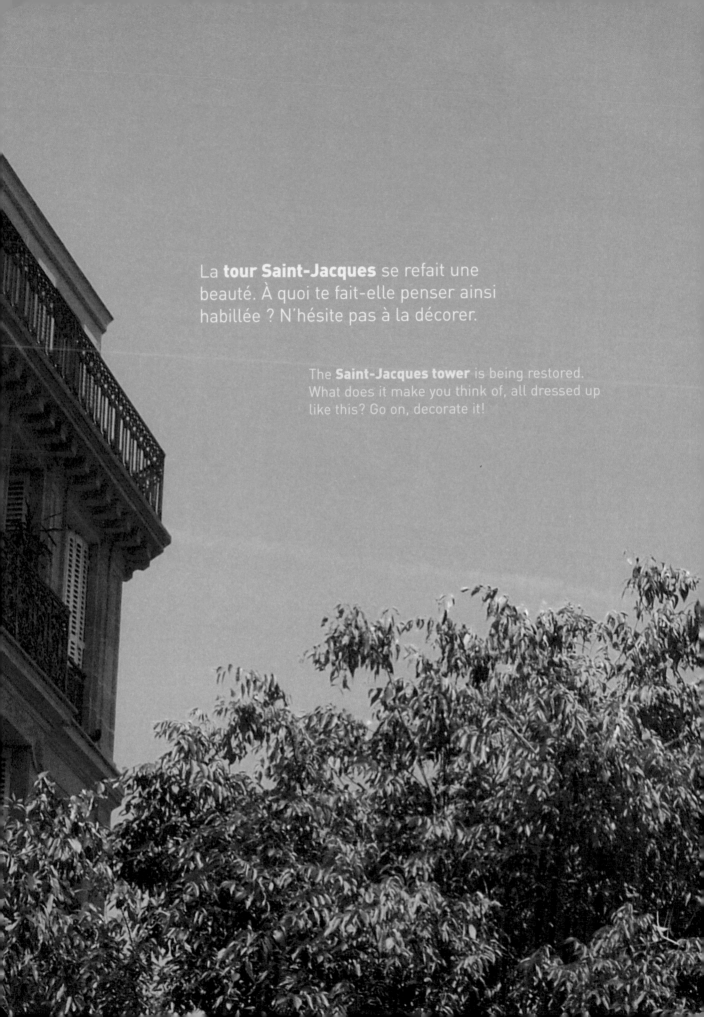

La **tour Saint-Jacques** se refait une beauté. À quoi te fait-elle penser ainsi habillée ? N'hésite pas à la décorer.

The **Saint-Jacques tower** is being restored. What does it make you think of, all dressed up like this? Go on, decorate it!

Il y a de la vie sous les **ponts de Paris** !
Si ce clown est très coloré, le décor
est un peu triste. Pourquoi ne pas
l'égayer avec un bel arc-en-ciel ?

You'll find class acts under some **Paris bridges**.
While this clown may be high in color, his surroundings
are awfully dreary. How about adding a bright rainbow?

Attention au départ ! Colorie ces **bateaux**
avant que ne commence la régate sur
le bassin du Luxembourg.

On your marks! Get set! Wait!
Before the race begins, color the sails
on these **boats** at Luxembourg Gardens!

Sur la Seine naviguent toutes
sortes de **bateaux**. Jette-toi
à l'eau et dessine le tien.

All sorts of boats travel up
and down the Seine River.
Dive in and draw your own **boat**!

Cela je
t'aime

Des petits mots entre
amoureux, il·y en a partout
dans Paris. Toi aussi, écris
à celui ou à celle qui occupe
tes pensées.

Love notes like this can be found
all over Paris. There is plenty
of room here for you to write
your own for that special
somebody on your
mind.

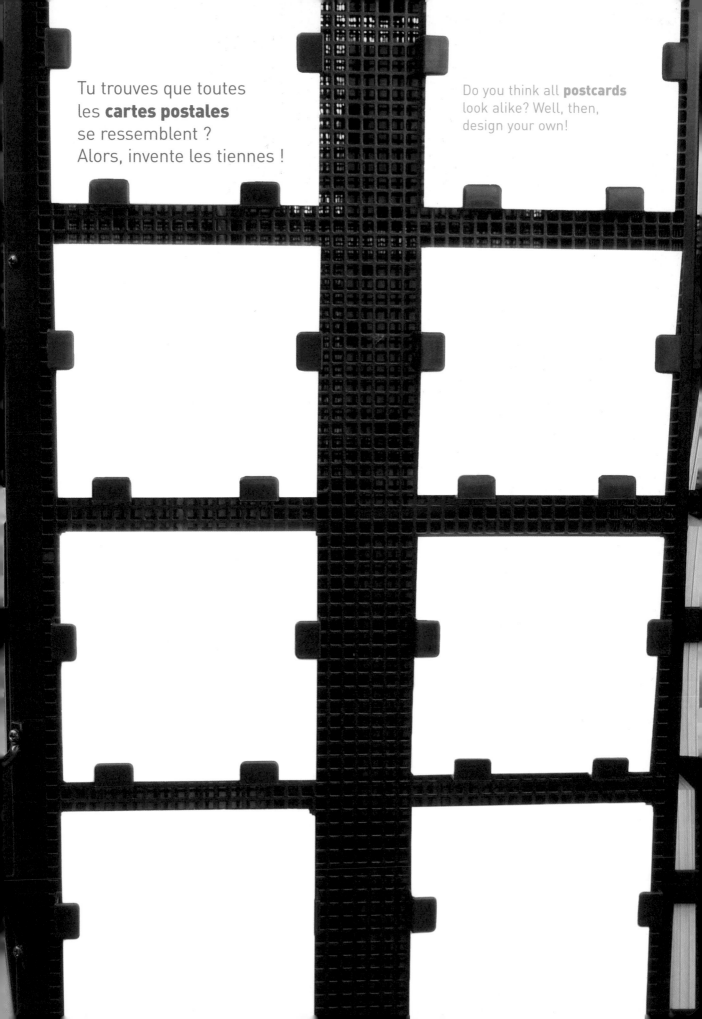

Tu trouves que toutes
les **cartes postales**
se ressemblent ?
Alors, invente les tiennes !

Do you think all **postcards**
look alike? Well, then,
design your own!

Allô, le bureau des
doudous perdus ?
Cette **poupée** n'a
plus de vêtements,
à toi de l'habiller.

Hello, Lost and Found
Department? This **doll**
has got no clothes.
Dress her up!

Graver une écorce,
c'est blesser un arbre.
Mais, sur le papier,
on peut s'amuser.
Ne t'en prive pas,
c'est permis !

**Carving a name into
a tree trunk** can hurt
a tree. But doing it on a photo
of a tree is safe and fun!
So, go right ahead!

Qu'est ce qui peut bien
faire courir ces **lapins** ?
À toi de l'imaginer.

Goodness! Why are these
rabbits racing around?
Use your imagination
to show us why.

Il manque des choses dans cette **vitrine** ! À toi de la décorer.

This **shop window** is terribly empty!
Go ahead and dress it up!

Ce mannequin a perdu
sa **tête**. À toi de lui
en dessiner une.

The mannequin has lost
his **head**. It's up to you
now to draw one for him.

Ces **fillettes**
ont perdu leurs couleurs,
aide-les à les retrouver.

These **girls**' colors have faded away!
Color in their clothes!

Sur ce mur, des **affiches déchirées** font penser à un animal bizarre : dessine-le.

Little remains of the posters on this wall. What is left looks like a bizarre animal. Draw it!

Dans le jardin des Tuileries, des **silhouettes gracieuses**
surgissent des massifs. À toi d'inventer d'autres sculptures.

Graceful figures pop up through the hedges at the Tuileries Gardens.
Go ahead and create other sculptures for this space.

Au coin d'une rue,
une maison démolie
a laissé l'empreinte
de ses **pièces**.
Imagine leur décor.

An apartment building was
demolished on this street
corner and left imprints of
its **rooms** on the building
next door. Imagine what
they looked like.

13ᵉ Arrᵗ

RUE PASCAL

1623 – 1662

PHILOSOPHE ET MYSTIQUE

Mosko et associés

Paris est une **vraie jungle** !
Mais il faudrait encore des
arbres et des lianes pour que
le singe et l'éléphant se sentent
vraiment chez eux.

Paris is a **real jungle**! But this area
needs a few trees and vines to help
the monkey and the elephant feel
more at home.

Des personnages pas comme les autres hantent les rues et les murs. Colorie celui-ci et imagine à quoi peut bien penser le jeune garçon à droite.

Amazing characters haunt the streets and walls. Color these photos then imagine what the boy is thinking about.

Ce dessus de porte est un peu triste.
Peins-le et n'oublie pas de mettre
tes initiales ou ta photo dans le **médaillon**.

This frontispiece over a doorway is dreary.
Paint it and don't forget to put your initials
or your photo in the **cartouche** in the middle!

Un bassin avec des
canards et des poissons,
c'est quand même plus
intéressant. Peux-tu faire
quelque chose ?

Ducks and fish certainly
make a pond more attractive.
Can you do something?

Tu la reconnais ?
Jolie mais un peu terne.
À tes couleurs !

Do you recognize this face?
Pretty, but a bit drab.
It's coloring time!

Avec du papier déchiré,
fabrique et colle
tes propres affiches.

Rip up bits of paper
to make **your own posters**,
then glue them onto the fence.

Cette vasque devrait
être pleine de **fleurs**.
À toi d'y faire pousser
tes préférées.

This big vase ought
to be overflowing with
flowers. Go ahead and
plant your favorites.

Ah, le vertige de la **page blanche** !
Que peindre ? Un portrait, un paysage ?

Oh, the fear of the **blank page**!
What shall we paint here?
A portrait? A landscape?

Des **créatures fantastiques** veillent sur la ville depuis le sommet de ses plus hautes tours. Fais de celle-ci un dragon cracheur de feu !

Fantastic creatures watch over the city from the tops of the highest towers. Turn this one into a fire-breathing dragon!

"À Paris en vélo on dépasse les autos…"
Ces **symboles**, tu les connais sûrement.
Tu peux les colorier ou les transformer,
à toi de voir.

'In Paris, bikes often pass cars." Surely, you have noticed
these **street signs**. Can you color them in or turn them
into something fun?

On trouve toutes sortes
d'**animaux** dans Paris.
Donne à manger
à l'hippopotame
et aide le dromadaire
à remplir son panier.

There are all sorts
of **animals** in Paris.
Give the hippopotamus
something to eat and fill up
the camel's basket.

Édition François Besse et Mathilde Kressmann
Direction artistique Isabelle Chemin
Maquette Marylène Lhenri
Photogravure Alésia Studio, à Sèvres
Impression Mame, à Tours (octobre 2007)
Dépôt légal février 2007
ISBN 978-2-84096-465-0